난간 소녀 II

난간소녀II

발 행 | 2024년 03월 15일
저 자 | 김나현
펴낸이 | 한건희
펴낸곳 | 주식회사 부크크
출판사등록 | 2014.07.15(제2014-16호)
주 소 | 서울특별시 금천구 가산디지털1로 119 SK트윈타워 A동 305호
전 화 | 1670-8316
이메일 | info@bookk.co.kr

ISBN | 979-11-410-7656-6

www.bookk.co.kr

난간소녀 II

김나현 지음

CONTENT

제1화 겨울 내내

겨우내 눈이 오던 날에도 나는 눈을 볼 수 없었다. 난 병원에 갇혀 있었기 때문에 겨울 눈사람 한 번을 만들지 못했고, 눈싸움조차 하지 못했다.

병원에서는 마음대로 할 수 있는 것들이 별로 없었다.

약도 정해진 시간마다 방에 들어가 대기한 상태로 먹어야 했으며, 샤워시간 또한 정해져 있어서 정해진 시간 안에 샤워를 먼저 해야 어렵게 샤워를 할 수 있었다. 밥시간 또한 정해져 있었고, 모든 게 시간 단위로 정해진 그런 공간이었다.

억울했다.

밖에는 눈이 펑펑 오는데 나갈 수가 없는 내 상황이.

난 겨울 눈을 정말 좋아해서 아무도 걷지 않은 눈 길을 내가 먼저 밟는 것도 좋아했고, 눈사람을 만드는 것도 좋아했다. 그런데 이번 겨울엔 한 번도 내가 좋아하는 겨울 놀이를 할 수 없었고, 간간이 짧은 외출 시간이 정해지면 아빠와 나가서 그제야 눈 구경을 할 수 있었다. 그래도 그 순간만이 유일하게 바깥공기를 느껴 볼 수 있는 날들이었다.

내 인생을 나누자면 병원을 가기 전과 후가 다르다고 말할 수 있다.

병원에 가기 전엔 내가 책을 쓸 것이라고는 생각도 못 했다. 병원에 갔다 온 후 책을 내고 나서야 그제야 실감이 났다. 병원을 가기 전과 가고 나서의 내 삶이 달라졌다는 것을.

처음엔 내 병을 치료하기 위해선 무조건 가야 한다고 생각했지만 주위 사람들의 만류와 가족들의 걱정 등 병원 입원에 긍정적이었던 반응들은 별로 없었다.

그렇지만, 이대로 살아갈 순 없었다.

하루 매일 같이 울고 무기력하게 지내고 세상은 날 불행하게 하기 위해서 온갖 수를 쓰고 있는 느낌이 들었다.

1년 6개월 동안 운영하던 카페는 점점 매출이 떨어져 가서 운영하기도 힘들었고,

내가 우울증으로 고생하고 있을 때, 강아지가 사라져서 죽고 만 싶었을 때, 엄마와 카페로 인해 싸웠을 때, 남자친구와 이별을 했을 때, 손님들과 스트레스로 인해 난 정말 바닥끝까지 내려간 기분이었다.

이것 또한 병원을 가기 전과 후가 나뉜다고 생각한다.

처음 병원에 가서 취침 약을 먹고 나는 난동을 부렸다. 그게 어떻게 부린 건지 자세히 기억이 나진 않지만 소리 지르고 욕하고 울고 기어다니며 내 몸을 괴롭히고 있었다. 그래서 취침 약을 먹을 때마다 나는 내가 또 그런 행동을 할까 봐 너무 무서워서 먹기 힘들었던 날도 있었다.

그렇다고 안 먹으면 내 병이 낫지 않을 걸 알기에 부작용으로 힘들어하고 있는 와중에도 나는 약을 먹으며 치료에 집중했다. 나에게 맞는 약을 찾는 기간은 약 두세 달 정도였다.

그리고 병원에서의 밥은 정말 맛이 없었다. 그래서 룸메이트들과 함께 저녁엔 또 라면을 먹기도 했고, 아침엔 약기운으로 인해 일어날 수가 없어서 점심과 저녁만 먹으며 지냈었다. 이 병원은 꽤 자유로운 분위기여서 사람들끼리 싸운 일도 있었고 여러 가지 사건이 자주 일어났다.

여러 종류의 사람들이 많아서 지내기가 어렵기도 했고 쉽기도 했다. 나는 우울증으로 들어갔기 때문에 다른 병명의 사람들보단 소소했기도 한 증상이었다.

내가 퇴원 날짜가 정해지고 나와 같은 주치의 담당이었던 언니가 나에게 해준 말이 아직도 기억이 난다.

"나현아, 가서는 정말 잘 지내고 다신 돌아오면 안 돼. 가서 꼭 행복하게 지내."라는 말.

"응 언니 나 지금은 너무 행복하게 지내고 있어."

그리고 자유시간이 많다 보니 서로 편지를 써주기도 했는데 정말 기억에 남는 편지 내용이 있다.

그게 이 편지 내용이다.

'안녕 나현아. 난 너의 26년 인생을 다 모르는 것이 당연하지만, 나도 한때는 너와 비슷한 아픔을 겪고 깨달은 바가 있기에 이렇게 펜을 잡아 본 단다.

나도 한때는 나를 해치면서까지 현실을 도피하고 부정하려 했던 적이 있다고 했지?

하지만 이제 와서 느낀 바는, 나를 위해 슬퍼해주는 사람들이 있기에 그 찰나의 순간 어리석은 행동을 했던 걸 후회한다는 것과, 그런 나를 위해 슬퍼해주는 사람들과 함께라면 그 슬픔도 이겨낼 수 있다는 것이란다.

나현아! 난 진심으로 네가 참 좋아.

함께 있으면서 내가 너에게 해주는 소리가 위로의 소리라고 한다면, 난 너를 위해 밤새워 이야기해 줄 수 있어.

이제 너의 몸을 소중하게 생각하렴. 벌써 밤이다. 오늘 하루도 고생했고, 너를 좀 더 아끼고 싶다면 자신에게 편지를 써봐 도움이 될 거야.

라는 내용의 편지가 퇴원하고 나서도 나의 기억 속에 박혀 있는 내용이다.

그리고 현재 집에 고이 간직하고 있는 편지이기도 하다.

나는 내 몸에 상처를 내는 자해를 했던 환자였고, 내 몸을 한강으로 던지려고 했던 자살 시도자였다. 이 상황을 모두 안 룸메이트는 저렇게 나에게 힘이 되어주는 편지를 써주었으며 자신에게 편지를 써보라는 내용으로 인해 이렇게 책을 쓰게 된 것 같기도 하다.

내 마음속에 글들을 책으로 쓰다 보면 나는 무엇인가가 해소되는 느낌이었고, 글이 잘 써지면 행복해지는 기분까지 느꼈다.

그래서 저 편지를 써준 내 룸메이트에게도 정말 감사함을 느낀다.

세상엔 이렇게 자신의 말 한마디로 다른 사람의 인생에

도움을 주기도, 해를 끼치기도 한다.

그 사실을 꼭 알아야 한다.

제2화 눈이 왔지만

눈이 왔지만

눈이 왔지만 그 눈을 못 보고, 만지지 못하고

마치 볼 수 없는 사람을 기다렸던 거 마냥

그냥 그렇게 지나치는 것.

눈이 왔지만 그 겨울은 못 보고

지나가는 것.

그게 사람일지라도.

겨울

겨울은 내 생일이 있어서 내가 정말 좋아하는 계절이야.

근데 네가 없어서 아쉬워지는 이 기분은

뭐라고 표현해야 할까?

같이 겨울을 느끼고 즐기고 싶었는데

제일 중요한 네가 없어.

그래서 난 이제 겨울이 싫다.

다른 사람

다른 사람을 만나봐도 다 그저 그랬다.

너를 만났을 때 하고 다른 느낌이 너무 싫었다.

난 그게 싫어서 너와 닮은 사람을 찾으려고 발버둥 쳤어.

근데 한참 후 깨달았지

너를 닮은 사람은 너밖에 없다는 걸 말이야.

그 사실을 누구보다 제일 잘 알면서

그래서 널 닮은 내 다음 사람은 없단 걸 제일 잘 알면서.

흑백

사람들은 다 잊으라고 해.

잊힌다고 시간이 해결해 줄 거라고 말을 하지.

사실 시간이 해결해 주지 않는 건 없거든

뭐든 지나가면 다 그때가 되는 거야.

나도 알고 있어서 그 시간이 지나가기 만을

바라고 있어.

시간이 지나가면 다 없어질 감정들.

그래서 지금 이 감정들을 소중히 지켜내는 중이야

이 감정들이 없어지면

난 원래의 색을 가진 나로 돌아가겠지?

지금은 다 헤질 때로 헤진 흑백 색이지만.

책의 결말

나는 책의 결말을 모든 사람들이 난간에서 내려와 행복해지기를 바란다는 말을 썼어.

그 말 뜻은 나처럼 힘든 하루하루를 보내고 있어도 내 책을 보고 힐링 됐으면 좋겠다 싶어서 쓴 말이기도 해.

그래서 내 책을 읽어 본 사람들은 다 행복해졌을까?

너무 우울한 내용만 적어서 오히려 기분이 안 좋아질 수도 있겠단 생각이 들기도 한 밤이야.

안녕

시간이 지나도 잊히지 않는 사람이 있다.

모두들 한 번쯤 은 겪어 봤을 일.

사랑했을 때의 모습이 너무 좋아서 행복해서

잊기 싫은 이 기분은 느껴본 사람만이 알겠지.

하지만 이제 나를 위해서도

그 사람과의 인연은 끊어 내야 한다.

이젠 안녕을 말한다 안녕.

제3화 한 번도 보지 못한

한 번도 보지 못한

겨울이 지나고 나서도 한 번도 보지 못한 그 사람이 있다. 아니, 이젠 봐야 할 이유도 조건도 없는 그 사람 못 보는 게 당연한 그 사람. 책을 썼는데도 불구하고 정리하지 못하고 계속 간직하고 있는 그 사람은 겨울이 지나고, 봄이 지나도 여름이 되어도 가을을 보내도 평생 못 볼 사람. 못 볼 사람을 위해 책을 쓰는 것도 한심하다는 생각이 들다 가도 내 마음이 편해지기 위해 쓰는 내 속마음들.

언젠간 나도 그 사람처럼 잔잔해지기 위해 쓰는 책이다.

진심

헤어져봐야 비로소 알게 되는 것들이 있다.

누가 더 많이 사랑했는지.

누가 더 빨리 정리하는지.

그건 겪어 본 사람들 만이 알겠지만

헤어진 사이에 사실 중요한 건

누가 진심이었는지가 중요하다.

진심이었던 사람만이 더 아프고 더 슬프겠지만

너무 상심해 있지 않기로 하자.

이별로 인해 성장할 수 있음에 감사하자.

몫

이젠 단 한 번도 볼 수 없는

그 사실을 견뎌내야 하는 게 본인의 몫이다.

너무 슬프고 아프고 힘들겠지만 견뎌내야 한다는

사실은 변함이 없다. 내가 슬프고 힘들어한다고

달라지는 건 오히려 무기력해지고 초라해지는

내 모습이 아닐까 싶다.

지금 당장은 어렵더라도 우리 자신을 위해

변화해 보도록 하자. 가까운 주변 산책이라도 하면서

마음을 정리하고 운동을 하는 것도 추천한다.

자신의 생각을 몰두할 수 있는 일에 집중하고

성장시키다 보면 변화된 내 모습에 나 자신이

만족할 것이 분명하다.

충분히 오래 쓰러져 있어도 되지만

꼭 다시 일어설 목표로.

이별

사실 충분히 아파해도 된다.

이별이 꼭 이성과의 이별이 아니더라도

다른 무언갈 떠나보냈거나 떠나갔거나

마음 아픈 건 마찬가지 일 테니 말이다.

충분히 아파하자

내가 진심이었던 만큼 슬퍼하고 울어도

아무도 뭐라고 할 자격이 없다.

이 순간이 지나가기 만을 기다리면 된다.

언젠가 이 힘든 순간은 다 지나가니까.

생각

내가 입원을 하고 퇴원을 하면서 달라진 점들이 있다.

입원 전 한강 난간에 올라갔을 시절

아무것도 할 수 없었고 할 마음도 없었고 그야말로

무기력 그 자체였다.

하지만 퇴원 후 내 생각 자체는 완전히 바뀌어서

무엇인가를 이루어 내고 싶고, 목표가 생겨서

인생이 달라졌다고 할 수 있다.

나는 모두들 이렇게 변할 수 있다고 생각한다.

마음먹기에 따라서,

그리고 충분히 아파하고 나서.

제4화 병원에서의 편지

병원에서의 편지 1

오늘도 몇 번의 눈물이 날 뻔한 적이 있는데 분명 나는 20대 초반 노는 것도 좋아하고, 친구들도 좋아하고 장기적인 직업을 가진 적은 없었지만 지금 보다 행복하고 즐거웠다. 무엇이 틈만 나면 내 마음을 부수고 가는지 모르겠다. 병원에서 주는 약도 먹고 있지만 감정이 오락가락하고 부정적인 생각이 자꾸 난다. 그래서 더 이유를 찾고 싶다. 나는 이렇게 망가져가는 애가 아니고 걔가 떠났다고 벼랑 끝까지 가는 게 아니고 카페가 망했다고 내 몸에 상처를 내는 게 아니었어야 했는데 이런 입원 생활에 맞춰져 있는 내 상황이 억울하다. 정작 상처받아야 할 사람은 안 받고. 너무너무 슬프다.

병원에서의 편지 2

11.27 D+2

졸려서 밥은 안 먹고 점심에 언니가 깨워줘서 같이 먹었다.

약간 말이 어눌해지고 하루 종일 멍한 기분

하루 종일 졸리다.

대기실이 너무 시끄럽고 듣기가 싫다.

그리고 꿈꾸면서 말을 한다.

나는 실제 상황인 줄 알고 말을 하지만 깨 보면 허상이다.

병원에서의 편지 3

11.28 D+3

언니가 퇴원하고 놀 사람이 없어졌다.

근데 놀고 싶지도 않았다.

나는 혼자가 편하니까. 이 병원의 문제점은 간호사실을

닫아버려서 환자의 말을 차단한다는 것이다.

오늘 잠을 자는데 SNS에 동영상이 떠서 보다가 핸드폰을

잃어버렸다. 핸드폰을 막 찾다가 이불도 덮치며

이곳저곳 다 찾아봤는데 순간 깨달았다.

나는 사실 핸드폰이 없다는 걸.

그리고 자꾸자꾸 꿈속에서의 말이 튀어나온다

실제로 내가 하려던 말이 아닌데.

기억력은 정말 안 좋아지고 똑같은 걸

몇 번이나 물어보고 그런다.

내가 병원에서의 일기를 글로 쓴 이유는 저렇게

상태가 안 좋을 정도로 심각했다는 것을 보여주기 위함이다.

기억도 못 하고, 말도 잘 못하고 나조차도 핸드폰이

없단 사실을 깨 달았을 때 정말 놀랬었던 기억이 있다.

하지만 지금은 이렇게 다르게 생활하고 있다

지금은 전혀 기억을 못 한다거나 어눌하게 말을 한다거나

병원에서의 힘들었던 점을 다 극복하고 나왔다.

그래서 말해주고 싶었던 것이다.

뭐든 시간이 지나면 극복할 수 있다는 것을.

제5화 속마음

성장

상처를 통해 얻는 건

더 이상 상처받지 않을 용기.

아픔을 통해 얻는 건

더 이상 아파하지 않을 방법.

이별로 통해 배운 건

더 나은 사람이 될 수 있다는 것.

무엇이든 나를 더 나은 사람으로

성장시켜 준다는 것은 분명하다.

길

책을 많이 읽고 배움을 더하기

헛된 곳에 마음 쓰지 않고

내 정해진 길에만 마음 주기

해볼 수 있을 때까지 뭐든 해보기

그렇게 차곡차곡 목표를 이루기

곧 성장하게 될 나를 위해서 가는 길.

배움

아픔은 큰 상처를 주지만

배움을 주기도 한다.

어떤 작은 아픔으로도

큰 배움을 얻을 수 있다.

그렇게 아픔에게서 벗어나는 일들을

배우면서 지내기.

추억

이제 떠나면 추억이 될 그에게

꼭 해주고 싶은 말이 있다면

나에게 이런 큰 아픔을 줬다는 것에

고마움과 그 아픔으로

내가 성장할 수 있었다는 그런 그리움에

섞인 따뜻한 말.

난 널 미워하지 않을 것이라는 말.

무지개다리

우리 집 강아지가 무지개다리로 건너기 전에,

내가 카페에서 모든 일을 마치고

허겁지겁 달려갔던 그날 밤.

내가 올 때까지 숨 허덕이며 참고 있던

내 작은 강아지.

이런 이별도 있구나

내가 올 때까지 버텨주는 그런 이별

사무치듯 눈물이 흘러넘치지만

항상 내 가슴속에 묻혀 있는 너야

사랑하는 내 보물아.

방향

어느 방향도 못 찾겠으면

방황하는 게 맞다.

차분히 기다려 보면

문이 열리듯 답이 나올 것이다.

방황만이 나쁜 것이 아니다.

어느 길로도 답이 나오니까.

용서

'용서해 보기'라는 말이 있는데

지금 현재 미워하거나 싫어하는 감정을 가진

사람이 있다면 그건 곧 자신을

괴롭힐 감정이다.

자신을 해치지 않고 용기 있게

'용서해 보기'를 도전해 보는 게 어떨까 싶다.

살아가기

죽지 않고 살아가기

죽을 뻔했지만 어떻게 보면 나는

새로운 인생이 다시 시작된 것이다.

그런 시도를 한 후 무서운 생각은

더 이상 들진 않지만

그것만으로도 만족해하며 살아가기

앞으로의 인생을 만들어 보기.

진심

우리가 이토록 아픈 건 너무 많은

진심을 준 것일 수도 있다.

진심이라는 감정을 사랑스럽게 바라봐보자.

아름다운 진심이라는 감정들

탓하지 않고 있는 그대로.

날 것 그대로 나의 '진심'은 진심이었다.

봄

봄은 사계절의 첫 계절인 만큼

벚꽃 기차를 타고 새로운 자신을

향하여 도전과 용기, 설렘과 실패를

모두 다 가져다준다고 한다.

뭐든 다 겪어봐야 성장할 수 있는

그 감정들.

그래서 봄은 좋은 계절이지 않을까.

바람

그냥 들렀다가

그 정도의 바람이야.

너 없다고 달라지는 건 많더라고

다시 왔어 그냥 그 정도로 보고 싶어서

있잖아, 너도 나도

가끔은 떠올리기로 하자.

우울

우울한 기분은 언제 어디에서든 몰려온다.

굉장히 벗어나기 어렵고 힘든 감정.

행동 하나하나 하기도 힘들고

무기력한 그 감정이 병이 되기 전에

우울에 여러 색을 섞어보며

정말 생판 그 자체로 바라봐 보자.

피하지 않고 겪고 지나갈 '우울' 따위인 것이라고.

병원에서의 일기 4

최근에 계속 울었던 일이 있었어

울음이 멈추질 않으니까

내 치료가 전혀 안된 걸까?

내가 내 감정을 그냥 다 꺼내버린 걸까?

너무 궁금하고 답답해.

나 이대로 괜찮을까?

인연

인연이 아니었다는 말.

인정하기 힘들지만 그럼에도 인정하기.

오늘 하루도 눈물이 나지만 그럼에도 인정하기.

같이 보낸 날이, 날들이, 기간이 어떻든

받아들이고 보내줘야

비로소 상처가 덜 된다는 것.

반응

아무것도 아닌 일에 아무 반응도 하지 말기.

괜히 내 힘만 쓰이기 때문이다.

누군가를 심각하게 싫어하거나

용서를 해야 한다거나

꼭 나 자신이 하고 싶은 대로 해보기.

세상 내 몫은 꼭 챙기고 살아가기.

기분

오늘은 기분이 좋아

네가 없어서도 난 이제 좋아

혼자 있어도 괜찮아

둘이 있어서 힘든 거보다

혼자 괜찮은 게 맞는 거잖아.

이 어려운 걸 내가 해내고

아직도 하고 있어.

제6화 병원에서의 일기

2023.12.02

병원에 입원한 지 일주일 정도 된 것 같다.

첫날엔 병원에 가기 너무너무 싫었다. 그래서 주치의 선생님과 상담할 때도 입원하기 싫다고도 했었다. 근데 내 증상을 듣고 선생님은 입원하기를 권했었다.

그래서 입원하게 됐다.

어느새 생겨버린 내 병 때문에 내가 고치고 싶어서 입원에 동의하기도 했다.

처음엔 이게 당연한 감정인 줄 알았는데 남들에겐 아니었다. 카페를 창업하면서 약 6개월 정도는 재밌고 돈이 많이 남는 게 아니더라도 괜찮았다. 진상 손님이 늘어도 괜찮았다.

그렇게 버티다 5월에 귀염이가 세상을 떠났다.

세상이 무너지는 것 같고 이제 내 편은 아무도 없구나 싶었다. 그래서 정신과에 다니며 처음 약을 먹기 시작했다.

귀염이의 죽음은 빠르게 받아들였다. 다시 내 카페 본래에 일상으로 돌아왔다. 엄마가 돈, 돈해도 다 참았다. 나도 돈

벌고 싶었는데 돈이 안 벌렸다. 카페를 한 게 내 인생에 최악의 선택이었고 지금 또한 나는 최악이다.

정신을 차려보니 내가 내 몸에 상처를 내고 있었다. 정상이 아니었다. 폐업을 할지 말지에 대한 불안함, 손님과의 스트레스, 떠난 귀염이 생각으로 인해 나는 하루하루 불안해 떨어가며 살았다.

그렇게 내 몸에 상처를 한번, 두 번, 여러 번 내기 시작했다. 그리고 남자친구와 사귀면서도 대교에 한번 갔었고, 헤어진 후 두 번째 대교에서 자살시도를 했다. 대교 난간에 직접 오르는 순간 너무너무 무섭고 슬펐다.

이렇게 올라올 수밖에 없는 나 자신이.

2023.12.03

오늘은 아침 점심 다 안 먹고 잠만 잤다. 약기운 때문에 자도 자도 졸렸다. 엄마한테도 전화했다. 외박이랑 면회도 된다고 하던데 제발 됐으면 좋겠다.

오늘 하루는 진짜 너무 재미없었다. 밥도 저녁밥 대충 먹고 아직까지는 내가 기분이 자주 업 됐다가 다운되고 난리다. 그래도 이번엔 자살 생각까진 안 했으니 그거면 됐다. 아빠가 사준 켈라 그라피랑 인형 시계도 잘 차고 하는데 시계 초가 안 맞아서 짜증도 났지만 참기로 했다.

오늘은 문득 전 남자친구 생각이 났다. 내 인생에서 지울 수 있을까? 지우고 싶다. 너무너무 많이 힘들다.

나 퇴원하기 전까지 편히 잘 쉬라고 했는데 편히 쉴 수가 없다. 빨리 퇴원해서 건강해진 내 모습으로 만나고 싶다. 선생님한테 편지를 보내려고 썼는데 반응이 어떨지 궁금하고 걱정도 된다.

2023.12.05

오늘은 세 번째 일기다. 병원은 참 할 게 없다. 이런 곳에서 몇 달씩이나 있으라니 끔찍하다.

내가 괜찮아지는 방법은 뭐가 있을까?

마음을 비우기, 생각을 긍정적으로 하기,

어떠한 말을 들어도 휩쓸리지 않기.

내가 하고 싶은 대로 하기. 긍정적인 마인드가 참 어렵다.

그리고 전 남자친구가 날 정리했다는 것도 어렵다.

언제쯤 마음 놓고 행복한 삶을 지낼 수 있을까 의문이다.

2023.2.06

오늘은 재밌었다. 일어나자마자 밥은 안 먹고 과자와 초콜릿으로 배를 채우고 주치의 선생님도 만났다. 요새는 어떠냐고, 퇴원 후에 하고 싶은 것이 있는지 리스트를 적어서 달라고 하셨다.

그래서 여러 가지 하고 싶은 일들을 적었다. 하고 싶은 게 많다는 게 다행인 것도 같았다. 아무것도 하기 싫었다면 우울증을 벗어날 힘도 없었단 얘기겠지?

그 남자애가 내 사진을 전부 불태웠다고 한다.

그렇게 나 혼자 태우지 못하고 버리지 못하고 간직하고 있는 내가 너무 짜증도 났고 안쓰러웠다.

그리고 그런 일로 인해서 엄마 아빠에게 상처도 줬다. 지금 여기 있는 게 익숙은 하지만 빨리 나가고 싶다. 나가면 또 충동이 들까 봐 두렵다. 내 충동은 어떻게 될지 너무 궁금하다. 참 여기서 손목 자해를 또 했다.

아빠가 외박 외출이 안된다고 해서 난 또 충동을 못 이기고 해버렸다. 아빠 반응이 이해도 되면서 답답해서 마음이 아픈 날이기도 했다.

2023.12.07

입원 후 카페에서 일했던 스트레스는 훨씬 없지만 갇혀 지내야 한다는 점, 단체 생활 어디서 어떻게 터질지 모르는 환자들 때문에 하루하루 평화롭게 지나간다면 그것도 다행이었다.

같은 룸메이트 2명과는 친하게 지냈고 서로 언제 퇴원하냐며 수다도 떨고 아픈 마음을 같이 공감해 주고 위로해 줬다. 그리고 내가 퇴원하고 나서 글을 쓰고 싶다고 하니까 그럼 나가서 진짜로 글을 써봐! 라고 말을 해준 사람이 내 룸메이트 언니이기도 하다.

그래서 개인 시간이 많은 입원 기간 동안은 주로 글을 쓰기만 했다. 난 처음이랑은 많이 달라졌다.

나는 화나거나 슬픈 일이 있으면 울면서 내 손목에 못된 짓을 했다. 흉터 자국을 가리기 위해 타투를 했는데 이번에는 타투 자국이 아닌 곳에 했다.

나에겐 자해가 습관이었고, 주체할 수 없는 도구였지만 이 병원에서는 충동이 들 때마다 간호사 선생님들을 부르라면서 잘 보살펴준 덕에 자해 충동은 이제 들지 않는다.

2023.12.?

정말로 보고 싶은 사람들이 꿈에 나올 때면

잠에서 깨어 누워 있는 채로 무기력한

울음소리를 내는 것이 전부였다.

그 사람들을 다신 보지 못하게 될 때에

나는 또 어떻게 울어야 할지

또 이렇게 적어가야 할까?

2023.12.09

카페는 내 인생 첫 창업이었고 아무도 모르는 유명하지도 않았던 브랜드였다.

당연히 난 실패했다.

내가 망쳤다는 이유와 되돌릴 수 없는 카페를 붙잡고 있긴 싫다.

카페에서 일을 하면서 정신과도 같이 다녔다. 정신과 약은 졸음에 대해 도움을 주었지만 하루도 빠지지 않고 잠이 와서 일을 할 수가 없었다.

정신 병동에서 주는 약과 다르기도 했다.

어느새 나는 정신과 약에 의존하는 정말 환자가 되어버렸다.
주위에서는 빨리 단약해라, 그만 먹어라 하지만

이틀이라도 먹지 않으면 머리가 어지럽고 아프고 서있을 수 가 없었다. 나도 마음만 먹으면 우울증 약 안 먹고 밝았던 내 20살로 돌아가고 싶었다.

내 20살은 정말 행복했는데 말이다.

2023.12.17

오늘은 꽤 시간이 빨리 흘렀다.

근데 기분은 좋지 않았다.

기분이 좋지 않은 게 오래가기도 한다.

감정 기복이 너무 심해지고

안 좋은 감정만 오고 간다.

심장이 엄청 뛰기도 하지만

눈물이 나오진 않는다.

퇴원하고 싶다.

당장 내일이라도 정말 너무 힘들다.

퇴원하고 나서도, 하기 전에도 나는 힘들다.

내가 이런 결정 내린 것도 화가 난다.

내가 왜 입원을 하겠다고 한 건지도 모르겠다.

2023.12.?

<나의 극복기>

1. 혼자 지내지 않기

2. 내 상태를 알리기

3. 러닝을 뛰거나 산책을 가기

4. 서점에서 읽고 싶은 책 사기

5. 먹고 싶었던 맛있는 음식 먹기

6. 잡생각 없어지는 노래 듣기

7. 해석과 뜻이 있는 영화들 보기

8. 가장 소중한 건 나라는 걸 잊지 않기

9. 나를 조건 없이 사랑해 주는 사람들이 있다는 것을

잊지 않기

10. 항상 긍정적으로 생각하기

제7화 이별

이유

떠나간 이유를 나한테서 찾지 마라

상대가 밝히지 않은 이유까지 나의 몫이 될 순 없다.

아무리 노력해도 멀어지는 관계가 있음을 받아들이자.

무조건 내 잘못만 있는 것이 아니기 때문에.

마음

이미 차가워진 사람의 마음을 되돌리려

애쓰며 노력하기 보다 아직 차가워지지 않는

나를 생각하는 사람들의 마음을 지키려고

노력해 보자.

분명 나는 그런 사람들을 위해 살아갈 가치가 있고

이유가 있음이 분명하다.

상처

상처만 남기고 떠난 관계라면 더더욱

뒤돌아보지 않아야 한다.

예상치 못하게 차가운 바람이 불어

나를 흔들게 해도 예상치 못한

눈부시고 밝은 햇살도 분명 찾아올 것이다.

아픔

사실 이별은 누구나 다 겪는 일이고,

누구나 다 아파하며 지내는 게 이별이다.

이별이 아프지 않다는 것은 세상에

존재하지 않는다.

그러나 이별을 어떻게 받아들이느냐에 따라서

상처의 치유 속도가 달라진다.

이별로 인해 망가질 것인지

다시 일어설 것인지는 자기 자신이 정하는 것.

무지개다리

반려동물을 무지개다리로 보낸 사람만이 알 수 있는 기분.

나는 18년 동안 키운 강아지가 있었는데 강아지가 무지개다리로 가고 나서 정신과에 다니기 시작했다. 항상 내 옆에서 잠들었고 나만 기다렸고 나와 함께 했던 반려동물이기 때문에 그 슬픔은 이루 말할 수 없다.

장례식을 하고 있는 동안에도 나는 엄마와 오빠처럼 펑펑 울 수 없었다. 꿈을 꾸고 있는 것 같아서 눈물이 흐르지 않았다. 인정할 수가 없었고 실제 상황이 아닌 것 같아서 담담하게 장례식장에서 내 강아지를 보내줬다.

그게 정신과에 가게 된 이유에도 포함되기도 하지만 보내줄 때에는 보내줄 수 있어야 내 마음도 편안해지고 떠나가는 반려동물 또한 편하게 갈 수 있다는 것을 병원에 입원하고 나서 깨달았다.

아. 내가 인정하지 않아서 눈물이 나지 않았던 거구나 하고. 지금은 떠나간 강아지가 내 마음 깊숙이 내 옆에서 날 지켜준다는 생각으로 지내고 있다.

귀염이

언제나 내 옆에서 날 지켜주는 아이

언제나 내 옆에서 잠들던 아이

떠나는 그 순간마저도 나를 기다려준 아이

마지막까지 나만 생각해서

나밖에 모르던 아이

진정으로 사랑이란 걸 알려준 아이

너무 사랑스럽던 아이.

이건 사랑하는 너를 위한 페이지야.

아무렇지 않은 척

오늘도 아무렇지 않게 하루를 시작하기

내 머릿속에서 이곳저곳 헤집어 놓으며

네 생각이 나게 하지만

난 절대로 지지 않고 이기고만 있어

그럼 아무렇지 않게 하루가 지나가거든.

근데 어느 순간 무너지는 날엔

나도 날 잘 모르는 채로 잠에 들더라.

그리고 꿈속에서 너를 만나지

이제 꿈속에서만 보자

우리 둘만

우리 둘만 아는 이야기

우리 둘만 알던 산책길

우리 둘만 걷던 눈밭

우리 둘만 놀던 놀이터

우리 둘만 자던 침대

언젠가 언니가 떨어지는 날에

그러지 말라고, 가지 말라고

날 붙잡아준 게 너란 생각이 들어

항상 내 옆에 있어주는 너.

기억

이젠 모습마저 희미해진 너

깊게 생각해야 떠오르는 너의 모습이

어쩜 마음이 아프고 아리다.

매일 같이 들던 생각이

이젠 가끔씩만 들 때

나도 모르게 죄책감이 들어.

너를 잊은 게 아니고

너무 보고 싶어서 그래.

헛된 꿈

네가 다시 돌아와 주길 바라는 꿈

비가 오고 눈이 오고 날이 좋고 날이 안 좋고

어떻게든 내 생각에서 잊히지 않을 때

그때는 난 널 미워해야 하는 걸까

아니면 그리워하는 게 당연하다고 생각해야 할까

너의 하늘은 나와 반대로 늘 푸르겠지만.

행복

행복해졌으면 좋겠다

그저 버티고 버티며 행복만을 기다리다

다치고 헤져도 행복해졌으면 좋겠다.

사실은 내 바람이기도 해

난 내가 행복해졌으면 좋겠거든

언젠가 정말 행복해져있는 나를 발견하면

그제야 책을 그만 쓸 수 있겠지.

타투

내 아픔의 흔적을 타투로 가려본다.

내 아픔의 자국을 타투로 지워본다.

그래야만 내 흉터를 지울 수 있거든

흉터가 생긴 이유를

미워해야 할지

흉터 때문에 타투를 해야 하는 걸

미워해야 할지

그저 흉터 가리기 일뿐인데.

그때

너와의 기억을 지워내면 나에겐

남을 게 하나도 없어

널 잃고 헤맬 이 시간이

아프지 않을 방법 또한 하나도 없어

추억으로 잠 못 드는 밤

널 그리워하다 이렇게 하루가 지나도

여전히 난 아직도 널 잊을 수 없나 봐

아직 그땔 사는 나 같아.

추억으로 사는 그땔 없애고 싶다.

제8화 마침표

이제 이 책의 마지막 화야. 마침표

난 이 책을 끝으로 마무리를 지어보려고 해.

하고 싶었던 말하고 싶었던 뜻이 담긴 대화들

모두 담아서 이 책에 넣어놨어

이제 마침표를 찍어야 할 시간도 된 거겠지

이렇게.

'성공은 최고의 복수'라는 말도

머릿속에 남겨 두지 마라.

보란 듯이 성공해서 복수하겠다는

나의 마음 또한 해롭고 아깝다.

나의 성공은 내가 온전히 누려야 할

행복일 뿐 복수를 위한 도구가 아니다.

행복해야 할 순간마저 적을 떠올려 봤자

내 기분만 상한다. 누군가를 미워하고

원망하는 마음을 다스릴 수 없을 땐

그저 이 단순한 사실만 기억하자

내가 소중해서 너를 미워하지 않을 뿐이야.

나는 '네가 나를 괴롭히고 있구나' 하고

한 발짝 물러선다,

그리고 내 감정을 받아들인다.

충분히 이해해

충분히 속상할만한 상황이지

하지만 그 상태에서 내리는 판단을

타당하다고 여기진 않는다.

그렇다고 내가 나를 괴롭혀도 되는 건 아니야.

이렇게 몰아붙여도 될 만큼 잘못하지 않았어.

그리고 현재 느끼는 감정이 영원히 계속된다고

생각하지도 않는다.

이 감정은 곧 지나갈 거야.

병원에서의 편지

나현이에게

넌 눈이 참 매력적이야.

웃는 모습이 예뻐

앞으로 환하게 많이 웃어줘

친하게 지내자!

약을 잘 챙겨 먹고 우울함과 불안감에서 벗어나기

운동을 시작해서 건강한 내 생활 이어가기

폐업 후 새로운 일을 하는 게 쉽지만은 않겠지만

차근차근 작은 일부터 해보려고 노력해 보기

우울에만 가득 찬 마음가짐을 글을 씀으로써

혼자 완성시켜보기 글로써 내 마음을 표현해 보기

스스로를 사랑해 주기

나를 위해 하루 종일 걱정하고 사랑을 주시는

부모님을 위해 앞으로는 나부터 치료하며

남을 더 사랑하고 감사한 마음 가지기

책을 읽으며 지식을 쌓고 마음에 안정을

주는 책을 써보고 읽어보기 더 잔잔한 마음가짐을 가지기

병원에서 아빠에게

아빠 내가 먼저 입원하자고 해놓고 나가고 싶다고 화내서 미안해.

주치의 선생님이 내 말을 잘 안들어주시는 것 같고 나한테 무슨 대답을 원하는지 모르겠어.

나는 이곳에 와서 여러 언니들과 친구들도 많이 생겼고 생활하는 것도 익숙해졌어. 나보고 우울증같이 안 보인다고도 했고,

여기서 재밌는 친구들 덕에 많이 웃고 다녀. 나는 내 충동적인 행동과 아빠 엄마의 마음을 다치게 한 것에 미안하고 속상한 말 밖에 해줄 말이 없어.

외출 외박이 아빠랑만 된다는 말에도 화내고 소리쳐서 미안해. 항상 사랑해

마음가짐 내 생각을 다시 잡는 방법

어떻게든 정신을 잡고 살아갈 가장 첫 번째 이유 생각하기

간절한 목표를 가지고 치료에 임할 것

날 생각해 주는 사람들에게 변화된 내 모습 보여주는 것

사랑하는 가족들 18년 동안 내 옆에 있어준 귀염이 생각하기

내가 다시 일어서야 하는 이유와 현실

지금 당장 바뀌긴 힘들겠지만 내 모습을 보고

슬퍼하고 속상해하시는 모습을 지켜보니

나 자신이 가장 먼저 변화하고 변화된 모습을 보여드리기

퇴원해서 좋은 모습을 모여드리며 이 실패가

실패로 끝이 아닌 성장이 될 수도 있다는 생각 가지기

1. 내가 대교에 갔던 사실을 잊지 않기

거기까지 갔을 정도로 힘들었단 사실을 잊지 않고 힘들 때마다 상기시키기.

2. 다신 그런 마음 안 들게 만들기

좋아하는 음악을 듣고 책을 보고 운동을 하고 산책을 하며 나 자신을 가꾸기 좋은 마음가짐으로 변화시키기

3. 좋아하는 사람 만나기

좋아하는 친구, 좋아하는 사람, 좋아하는 반려동물 키우기

나의 실패를 인정할 것

카페는 내 인생 첫 창업이었고 아무것도 모르던

내가 차린 커피숍이었다. 이미 카페가 많은 거리에서

작은 카페를 차렸고 모든 게 실패였던 이야기라

카페에 다신 가기도, 듣기도 싫지만

내 책임이기 때문에 감수해야 한다.

아마 다음에도 창업을 할 기회가 생긴다면

그 분야의 모든 것을 알고 있어야 하고 모든 걸

혼자서 전부 처리할 수 있는

그런 사람부터 되어야겠단 생각이 들었다.

깨달음이 있는 매우 중요하고 값진 경험이었다.

내 실패지만 앞으로의 성공이기도 하다.

병원에서의 일기

내가 괜찮아지는 방법은 마음을 비우기.

생각을 긍정적으로 하기.

어떠한 말을 들어도 휩쓸리지 않기.

그 사람을 용서해 보기.

약도 잘 먹고 치료에 적극적으로 임하기.

내 소중한 몸에 자해하지 않기.

그 사람에게 전화 걸고 싶어도 꾹 참기.

크리스마스 이틀 뒤가 내 생일이라고 슬퍼하지 말 것.

크리스마스와 생일을 병동에서 보낸다고 슬퍼하지 말 것.

병원에서의 편지

나현.

너에게 쓰는 두 번째 편지구나 안녕? 곧 개방 병동으로 내려가는 나이지만 마음이 편하진 않다.

같이 있는 2주 동안 먹고 자고, 같이 놀고 모든 걸 같이 했던 너와 나이고 너에게 정을 많이 주었기에 떠나기 쉽지가 않네.

스테이션 가서 말도 잘 못하고 TV 리모컨 달라고 말도 잘 못하는 너를 두고 가는 나의 마음이 편치 않구나.

나현아, 나 내려가면 꼭 전화하고 통화 중이거나 안 받으면 일부러 그런 거 아니니까 나중에 다시 꼭 걸고 나 없다고 우울해하지 말고 꼭꼭 밥 많이 챙겨 먹고, 아프지 말고, 아버지랑 화해하고 어느 정도 주치의 선생님 말씀 잘 들어야 한다 내 친구 미리 생일 축하해.

지금은 눈앞이 캄캄하고

혼자선 도저히 일어설 수 있는 힘이 없을지라도

조금만 더 버티다 보면

내가 반짝반짝 빛날 시기도 올 거라는 걸 안다.

그때까지 예쁘게 그저 사랑스럽던

내가 될 수 있을 때까지 버텨보자.

여전히 버릇처럼 그때의 기억을 떠올려보면

마음이 아프다.

내가 그렇게 대교 위에 올라가 앉아 있던 모습

울려대는 전화를 받으며 울면서

나 구해달라고 잡아달라고 애원하는 모습

사실 떨어지고 싶지 않았더라고.

사실 살고 싶었던 거라고.

아픈 기억이지만

시간은 모든 상처를 치유하기에

그때까지 기다려보는 것.

퇴원 후 첫 일기

2024.01.30

오늘은 생에 처음으로 헬스장에 가서 운동을 배웠다.

지금 손목이 너무 아파서 글씨도 잘 안 써진다.

처음 가봤는데 너무 재밌고 스트레스 풀리는 느낌이었다.

가는 길은 조금 험난하다. 멀리서 오는 버스 하나 타야 해서 조금 귀찮다. 그래도 무엇인가를 했다는 거에 의미를 둬야지.

하루 종일 집에서 뒹굴뒹굴 쉬는 것도 좋지만 운동하는 것도 생각보다 너무 재밌고 좋았다. 어제는 밤에 러닝을 뛰러 갔는데 온몸이 얼어 추워서 아직까진 나가서 뛰면 안 될 것

같단 생각을 했다. 이렇게

내 마음을 일기로 쓰는 건 매우 도움이 된다고 하니 앞으로 하루를 기록해 보는 게 내 목표다.

운동을 해서 그런지 오늘은 빨리 잘 것 같다.

기구 몇 개를 배웠는데 뭐가 뭔지 잘 모르겠지만 잘 알려주셨다.

그리고 지금은 굉장히 잘 참고 좋은 생각만 하려고 하고 있다!

감정들에 솔직해질 때

그제야 내가 되는 것 같다

숨기려 노력해 봐도

달라지는 건 하나 없다.

나를 누군가에게 맞춘다는 건

참 힘든 일이다.

내 감정들에게 솔직해지기로 하자.

나라고 못할 건 없다

노력한 만큼 되돌아오기 때문이다

모든 일엔 이유가 있음으로.

모든 것을 나의 탓으로 생각하지 않는 게 중요하다

어쩌면 힘든 순간들조차

우리가 살아갈 과정에 도움이 될 것이다.

그러니 지나가는 세월들을 소중히 여기고

매 순간을 기록하고 살아가자.

퇴원 후 일기

2024.02.08

오늘은 엄마랑 쇼핑을 했다. 헬스장은 못 갔어도 요가 매트를 샀다. 집에서도 폼롤러 스트레칭을 하면서 요가 매트가 필요했는데 마침 생각나서 샀다. 오늘 밤은 왠지 센티해지는 기분이다. 음, 그냥 좋지 않다. 왜 그럴까?

언제쯤 괜찮아 질까? 내일 친구들이랑 놀기로 했으니까 놀면 조금 나아지겠지? 차라리 놀아서 이 기분을 빨리 없애고 싶다.

또 어제 머리 탈색도 해서 지금 금발이다! 피어싱도 뚫고 싶고 하고 싶은 게 점점 더 생겨서 좋기도 하다.

오늘도 폼롤러 스트레칭 완료!

퇴원 후 일기

2024.02.15

오늘은 기분이 그렇게 좋지 않은 날이었다.

운동도 안 가고 집에서 게임하면서 놀았다.

근데 그냥 기분이 안 좋다. 분명 괜찮아진 줄 알았는데

불쑥불쑥 찾아오는 우울한 기분이 없어지지 않는다.

원인은 내 미래, 그리고 현재 관계들로 인해 영향도 받는다.

나는 앞으로 뭘 해야 할지 모르겠다.

퇴원 후 일기

2024.02.26

요새는 계속 혼자 있는 연습 중이다.

헬스장을 가고 네일아트를 하고 타투도 하고

염색도 하고 나에 대한 걸 꾸미고 바꾸고 있다.

혼자 있어서 공허하긴 하지만 열심히 연습 중이다.

책을 쓰기도 하고 강의도 듣고 열심히 하다 보면

결과가 나오겠지?

내가 좋게 변했으면 좋겠다.

걔가 보고 싶은 건 여전하지만.

퇴원 후 일기

2024.02.28

오늘 드디어 내 책이 출판된 날이다!

진짜 너무너무 좋았다. 내가 병원에 있을 때부터

세 달간 힘들었던 내용이 전부 들어있는 내용이다.

오타가 있고 제목이 밀리고 맞춤법도 틀린 부분은

어쩔 수 없지만 어쨌든 출판됐다는 게 너무 신난다

빨리 책이 와서 실제로 읽어보고 싶다!

그래서 오늘은 기분이 최고로 좋다.

전 남자친구한테도 잘 읽어보겠다고 연락이 왔다.

내가 먼저 하려고 했는데 먼저 와서 다행이다.

오늘은 헬스를 안 가서 내일은 가보려고 한다

퇴원 후 일기

2024.03.09

어제는 병원에 외래진료를 다녀왔다.

2주간 기분이 좋지가 않아서

솔직히 좋지 않았다고 말했다.

상담하면서 울기도 했다. 여러 가지 감정들이

섞여서 답답하고 힘들었다.

앞으로 어떻게 살아가야 할지도 모르겠고

걱정투성이다. 기분이 별로다.

최근엔 전 남자친구와 몇 번 통화도 하고

얘기도 많이 나눴는데 이게 좋은 일인 걸까?

좋다면 난 좋은 거 같기도 하다.

그리고 볼링에서 100점이 처음으로 넘은 날이기도 하다

아빠랑 계속 볼링 치러 다니고 재밌게 논건 좋았다.

확실히 입원했을 때의 일기와 퇴원 후 일기는 다르다.

퇴원하기 전에 내 모습과

하고 나서 내 모습이 다르다는 건

어느 정도 치료가 됐다는 뜻이겠지?

그래서 너무 다행이기도 하고

그동안 버텨낸 이유가 바로 이거 때문이구나 싶기도 하다.

그리고 벌써 책을 낸 지 2주가 지나가는데

또 2편을 다 써간다는 것도 뿌듯하다.

한때는 난 내 마음조차 이기지 못해서

헛된 짓을 많이 했다.

그게 나를 나아지게 하는 방법이라고 생각해서

안 좋은 행동들을 많이 했다.

지금 와서 생각해 보면

정말 마음 아프고 서투른 짓이었구나

깨달았다

이 깨달음은 나의 성장의 밑거름되어

같은 짓을 하지 않게 만들어준다.

아. 이제는 나도 고생을 하지 않아도 되구나.

네가 만약 무지개다리를 건너갈 때

혼자서 떨지 않을 수 있게

내가 옆에서 너를 안아 주며 같이 가 줄게

걱정하지 말고 기다려 내가 항상

찾으러 갈게 나를 기다려줘

네가 좋아하는 옷 좋아하는 곳

좋아하는 맛있는 거 먹으러 가자 나랑

꼭 옆에 있지 않아도 기억할게 내 옆에서

웃어주던 모습을 말이야

항상 내 옆에서 지켜준 너를 위해

혼자서 감당할 수 없는 고민들

털어내버리고 이겨낼 수 있을까 하는 고민들

노력한 만큼 되돌아오기 때문에

믿어 의심치 않는다.

마음속 깊게 자리 잡힌

부질없는 고민들 따윈

훌훌 털어 버리고 다시 이겨내보자.

많이 아플 테지만 언젠가 해야겠지

너와의 추억 정리

나 혼자만의 생각 정리

고마웠어 여기까지

좋은 추억만 남기고

잘 지낼 수 있을 거 같아

우리 이제 그 정도 사이는 되잖아

그치?

입원했을 때와 퇴원했을 때의 일기를

비교해 보니 정말 많이 달라진 것 같아 기분이 새롭다.

사람은 변하지 않는다는 말에 어느 정도

동의를 했던 나이지만,

이렇게 변한 나를 보고 그 말이 곧 사실이 아니었구나

하고 깨달았다.

사람은 아픔을 배우고 치유하면서 변화되기 마련이다.

너의 기억 속에서 언젠가 희미해질 나

그때가 빨리 오지 않길 바라며

아니, 이미 왔을 수도 있지만

영원히 잊힐 수 없는 한편의 영화처럼

그렇게 해줄 수 있겠니?

널 볼 수 없어 마음이 아픈 밤이야.

이른 따스함에 피어난 꽃

다른 것보다 더 아껴서 다뤄야 하는 나의 마음.

이토록 곱고 귀하게 대해야 하는 나의 마음

더 이상 상처받지 않게

얕은 흉터가 남지 않게

더욱더 소중히 여겨줘야 할 자신의 마음.

여러분 모두 정말로 행복해지길 바라며,

난간에서 내려온 저 또한 행복해지길 바라며

이 책을 마무리합니다. 행복해지세요.